Le Palais en chiffres

"Levés d'intérieurs, de toitures et de façades réalisés en 1993 et 1994 par la société ALGRAIN et immobilier du Palais de justice

Le distance-mètre-laser

Théodolite

Ce qui transfère les informations du Théodolite vers l'ordinateur

embase

Tablette avec ordinateur

fleurs visiteurs : de 3250 à 15000 par jour

6999 portes

Ces plans, extrêmement précis, ont été réalisés avec un matériel très sophistiqué : un mesureur à ondes muni d'un laser optique, monté sur un théodolite mobile.

"... On ne peut rester indifférent à ces murs chargés d'histoire que j'ai découverts pièce par pièce. J'en garderai un souvenir impérissable ; on ne reste pas insensible à cette passion qui vous envahit de jour en jour, au fil des semaines...."

Christian Allouis, géomètre, responsable des travaux de relevé des plans du Palais de Justice.

surface façades : 48 655 m²

3150 fenêtres

LIBERTE   EGALITE   FRATERNITE

FAÇADE DE LA COUR DU MAI

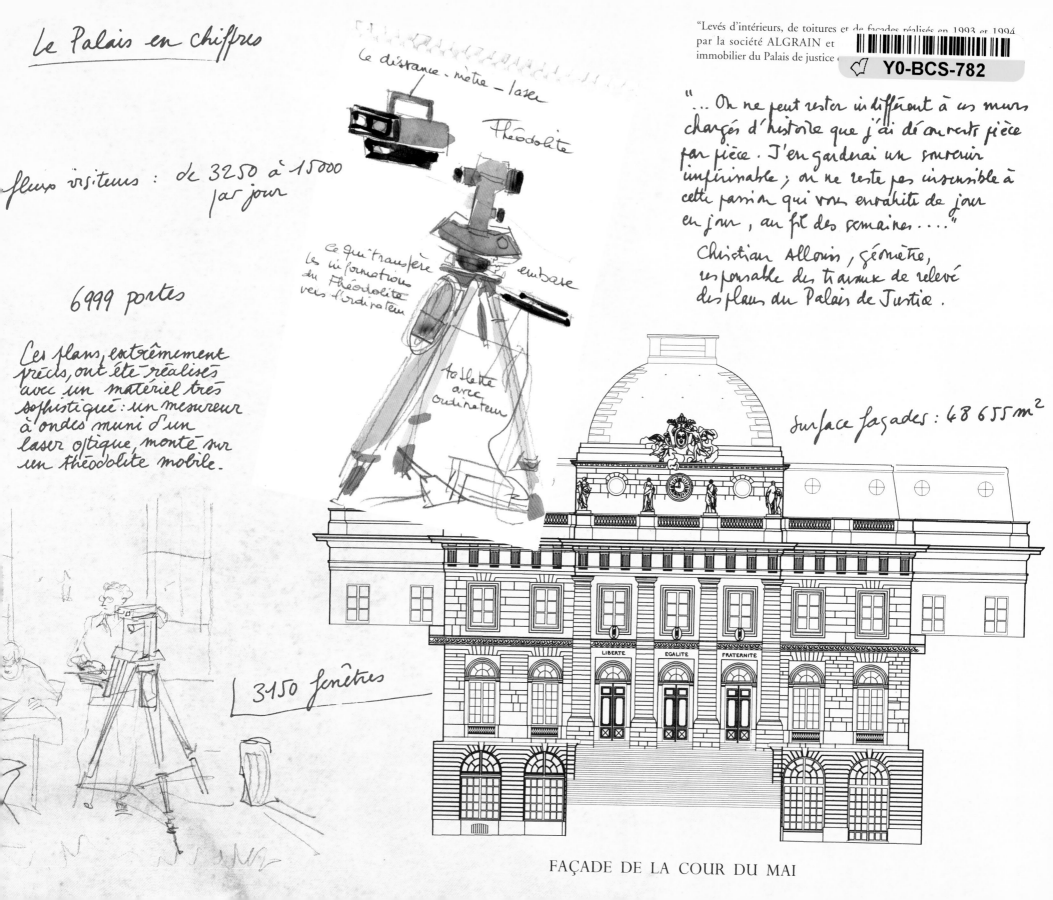

Noëlle Herrenschmidt, journaliste, dessinatrice-reporter. A déjà publié chez le même éditeur *Dans le sillage des boat-people*. Sa passion : traduire par le crayon et l'aquarelle l'émotion d'une rencontre, d'un regard, d'un lieu ; dessiner tout ce qui vit, dans l'urgence.

Antoine Garapon, magistrat, ancien juge des enfants, actuellement Secrétaire général de l'Institut des Hautes Études sur la Justice ; a publié *L'âne portant des reliques*, essai sur le rituel judiciaire. Sa passion : saisir l'esprit des lieux, percer le sens des symboles.

Jeudi 7 Décembre 1992
15h30

Je sors du bureau de Pierre Truche. Rendez-vous est pris pour faire son portrait. Le livre s'est ébauché sans que j'imagine une minute ce qui m'attend = près de trois années de démarches, de courses aux autorisations, de déambulation dans les couloirs. des portes qui s'ouvrent, des portes qui se ferment. décryptage d'un monde difficile à percer, qui se laisse peu à peu apprivoiser par le dessin et disparaît parfois, à peine l'aquarelle terminée. Carnets à la main, je pars à la découverte : Suivez-moi.

NH

Lettrage : Valentine Herrenschmidt
© Albin Michel, 1995
22 rue Huyghens 75014 Paris
Dépôt légal : mars 1997
N° d'édition : 11197/2
ISBN : 2 226 07129 6

Dessins de **Noëlle Herrenschmidt**   Textes de **Antoine Garapon**

Carnets du Palais

ALBIN MICHEL

22 Déc 1992
10h 45

Dans les salles d'audience, les photographes doivent laisser la place, dès l'ouverture des débats, aux dessinateurs pour croquer les acteurs du procès, toute prise d'image étant interdite par la loi. Chacun a son style, mais tous se remarquent par le même mouvement vertical de la tête qui va du modèle à la feuille pour retourner au modèle et revenir à la feuille posée sur les genoux ; et, à la fin, tous ont le même geste de recul pour contempler le résultat.

Il n'y a point de portrait de Noëlle Herrenschmidt dans cet ouvrage. Assise devant moi tout au long des semaines qu'a duré un procès important, je n'ai d'abord vu d'elle qu'une boule de cheveux frisés - noirs et blancs comme ses dessins d'alors - et une main gauche qui allait de l'encrier au papier. Pendant les suspensions d'audience, j'ai découvert des yeux curieux de tout et une extrême sensibilité. Seule la nécessité de son travail lui ordonnait de refouler l'émotion qu'elle ressentait lors de certains témoignages.

Lorsque je l'ai revue, il y a trois ans, à son retour du Viêt-nam d'où elle avait rapporté un album de dessins émouvants sur les réfugiés, elle ne savait dans quelle aventure elle allait se lancer. Elle n'avait fréquenté des palais de justice que les salles d'audience solennelles à l'occasion des grands procès, et voulait les connaître mieux. Dans mon bureau, ses yeux se sont portés vers une belle tapisserie du XVIIIᵉ siècle qui représente Don Quichotte interrogeant la tête enchantée. C'est peut-être cela qui la détermina…

Il lui fallait un guide pour l'initier à ce monde inconnu. Ce ne pouvait être qu'Antoine Garapon qui, par ses travaux, donne aux choses de la justice sens et signification. Il a été le conseiller attentif et exigeant, déchiffrant ce que Noëlle Herrenschmidt lui apportait, lui ouvrant à son tour de nouvelles voies et ordonnant l'ensemble.

De leurs échanges est né cet ouvrage qui révèle, derrière des grilles et des murs austères dans l'île de la Cité au cœur de Paris, la vie d'un monde singulier : à longueur d'années, les visiteurs insouciants de la Sainte-Chapelle et de la Conciergerie y côtoient des professionnels ; le solennel y fait bon ménage avec le quotidien, comme les dorures, les robes noires ou rouges parfois relevées de fourrures avec le bleu du menuisier, la blouse du typographe ou le tablier du cuisinier ; l'informatique n'y a pas supplanté les drôles de chariots des porteurs de dossiers, le recueillement d'un couvent y contraste avec la vie trépidante des couloirs.

Le Palais de justice de Paris, c'est tout cela et bien d'autres choses encore : un cabinet médical, une salle de presse, une poste, une gendarmerie, un vestiaire d'avocats… Et partout des couloirs, lieux d'attente fiévreuse, inquiète.

Ces carnets pris sur le vif, rapides mais signifiants, entraînent le lecteur dans un monde qui ne s'ouvre pas aisément. Parce que le Palais est avant tout un édifice accordé à un but, celui de rendre la justice. Elle se manifeste ici dans le regard attentif des magistrats qui attendent une réponse à leurs questions, dans la force de conviction dont les avocats imprègnent leurs plaidoiries, dans l'anxiété d'un mineur devant son juge, dans l'attitude d'un homme qui se tasse à mesure que l'audience se prolonge, dans le regard tourné vers son conjoint à l'audience du divorce… Au travers de ces moments de vie judiciaire croqués avec talent, c'est tout le sens d'une institution qui se dessine.

Pierre Truche
Procureur Général près la Cour de cassation

12h 10 Station Cité
Ligne n°4

LES DEUX PALAIS CAFÉ

" Prochaine étape,
je vais contester – "

Halte au comptoir de la Brasserie des Deux Palais, devant un café noisette.

Madame la gérante, concentrée sur ses comptes dans sa guérite en verre.

6, boulevard du Palais
Entrée du public —

2, boulevard du Palais
Entrée des professionnels

" La Sainte-Chapelle,
s'il vous plaît ? "

Passage obligatoire par le portique.
On dépose les clés, la monnaie.
Ça sonne encore ? On n'échappe pas à
la fouille.

tous les jours, par tous les temps,
les touristes s'agglutinent contre
les grilles de la Sainte-Chapelle.

Salle des Pas-Perdus.

Les couloirs du Palais ? un théâtre
où tout le monde semble en
représentation permanente.
Ici, des avocats dans leur robe
moyenâgeuse, là, un notaire
sur le point de prêter serment
dans son habit du tiers-état.

13h15

Galerie des Prisonniers -

Présentation

À l'approche du Palais de justice, la première chose qui frappe c'est cette grille d'entrée, majestueuse, surmontée de fleurs de lys dorées, mais toujours fermée, comme si elle nous invitait à ne pas entrer ! Puis on tombe sur un enchevêtrement de murs, de barrières et d'enclos qui se retrouve jusque dans la salle d'audience. Comment pénétrer l'univers à la fois inquiétant et familier du Palais de justice ?

Si l'on n'y rencontrait que des robes noires, il ferait peur ; mais heureusement il y a les autres, les gens ordinaires. Ceux que l'on ne regarde pas, et dont la présence est indispensable parce qu'elle rassure. Alors que l'on s'arrête habituellement à l'exception de ces lieux, regardons plutôt le contraste de ce monde où se côtoient la drôlerie et le drame, la solitude et la solennité, la grandeur et la mesquinerie, l'authenticité et la suffisance. Y rester insensible, c'est succomber au charme de la majesté de l'endroit qui refoule la part humaine d'une justice rendue par des hommes sur d'autres hommes. Plutôt que ce lieu conventionnel qui appelle des propos convenus, ces carnets ont voulu saisir le vivant de l'endroit, à la fois lieu de travail qui abrite une multitude de métiers, théâtre qui en même temps suscite et contient l'émotion, et mise en scène d'une réalité très quotidienne, faite de passion, d'inquiétude et de médiocrité, bref de vie.

Ces vastes couloirs sont d'anciennes rues que les temps ont recouvertes d'une voûte de pierre. Mais ils semblent en avoir gardé le souvenir en abritant les activités les plus diverses : on y déambule, on y prend connaissance à la hâte d'un dossier, on y visite, on y consulte, on s'y prépare et, maintenant, on y téléphone. Une fois entrés dans une salle d'audience, tous ces êtres anonymes vont devenir autres : un citoyen en revêtant la robe se fait juge ou avocat, un autre témoin ou juré, et un autre, en se rapprochant de la barre à l'appel de son nom, est prévenu. Mais, une fois repartis, retrouveront-ils aussi vite l'innocence de l'anonymat ? Les distinguez-vous dans cette masse en apparence indifférenciée ? Un jour où vous flânerez dans le palais, essayez de deviner dans cette foule qui est avocat, juge, fonctionnaire ou prévenu. En vérité, l'exercice n'est pas bien difficile tant chacun porte sur son visage, dans sa démarche, dans sa mise ou dans son regard, les stigmates de sa condition.

Arrêtons un peu notre regard pour nous laisser pénétrer par l'émotion de ces lieux que l'homme pressé - trop habitué ou trop impressionné - ne perçoit pas. Où vont ces avocats ? Que regardent ces touristes ? Que s'apprêtent à filmer ces journalistes ? Qu'est-ce qui retient ces badauds ? Quelles confidences ce client confesse-t-il à la hâte à son avocate à l'abri d'une colonne ? Les justiciables en puissance que nous sommes tous retrouveront-ils leur chemin ? Suivons-les.

Ici la vente se fait à la bougie —

Vente n° 8 !

190 000 pour Maître Bonnot

L'appariteur —

CHAMBRE des CRIÉES

191 000

195 000

Le Président : "Je vous donne acte, Maître, de vos poursuites et diligences, et j'ordonne l'allumage des feux dans la vente n° 8."

"Maître, je vous déclare adjudicataire des biens dont s'agit, moyennant le prix de 195 000 F pour le compte de Madame ...... ici présente et acceptante."

L'enchère est à 195 000

3ème feu

feu éteint

Audience de la 1ère chambre
du tribunal de Grande Instance —

14h15
mercredi 1er Mars

Bruno Cotte,
Procureur de la République

Jacqueline Cochard
Président du tribunal de
Grande Instance

La France et son histoire se sont donné dans ce Palais de justice un rendez-vous permanent. Notre vingtième siècle a commencé dans une cour d'assises, celle, à deux pas d'ici, où l'on a jugé Zola pour avoir dénoncé publiquement l'injustice du traitement réservé au capitaine Dreyfus. C'est à la Cour de cassation, quelques années plus tard, que ce dernier fut réhabilité. C'est de l'autre côté de la Galerie marchande que Pétain sera jugé au mitan du siècle. Et, plus récemment, on a dû aménager spécialement une salle pour accueillir toutes les victimes de l'affaire du sang contaminé.

La première chambre du Tribunal est l'ancienne salle du Parlement de Paris. Les rois de France s'y rendaient pour les fameux lits de justice. C'est également là que fut condamnée à mort Marie-Antoinette. Chaque époque a inscrit ses symboles dans la pierre : des tables de la Loi, des insignes romains ou des mots latins, des fleurs de lys, le porc-épic de Louis XII, des abeilles napoléoniennes et, bien sûr, des Mariannes. D'ailleurs, au palmarès du nombre d'inscriptions, la République est largement perdante : comme si elle se conduisait ici plus en invitée qu'en hôtesse. Voudrait-elle, dans ces lieux sacrés, se faire pardonner d'être née en tuant le Roi ? Faut-il s'offusquer de tant de rappels de notre histoire pré-démocratique ? À dire vrai, ils sont tellement nombreux qu'ils s'annulent. Et une démocratie n'accède-t-elle pas à sa majorité que lorsqu'elle n'a plus peur de son passé ? Fièrement affirmée, cette insensibilité aux soubresauts de l'histoire est peut-être le meilleur gage de sa capacité à régler les querelles des hommes.

RÉFÉRÉS

Les référés sont les urgences de la justice civile : les parties viennent y demander des mesures provisoires avant qu'une juridiction ne se prononce définitivement sur le fond de l'affaire. C'est peut-être l'endroit où le juge retrouve sa fonction arbitrale la plus originelle. D'ailleurs, en anglais, « arbitre » ne se dit-il pas *referee* ? Une procédure abrégée pour des affaires pas véritablement contestables : les trois dossiers que vous voyez là concernent tous des loyers. Mais peuvent parfois s'y plaider des affaires plus importantes lorsqu'il s'agit, par exemple, de saisir une publication.

13h05 "Bonjour !"
L'avocat : "Affaire n°42"

Une propriétaire vient réclamer
des loyers impayés.

L'absence de solennité, qui confine parfois à la confusion, est délibérément encouragée. L'expression « avoir l'oreille du tribunal » prend tout son sens dans cette petite salle, où se noue souvent le premier contact entre les parties. La proximité n'est-elle pas la condition indispensable à un début de négociation ? On peut le penser, à voir le nombre de ces affaires qui ne reviennent pas devant la juridiction collégiale.

Aux référés,
les avocats plaident "au comptoir".

Devant le juge rapporteur

Affaires familiales

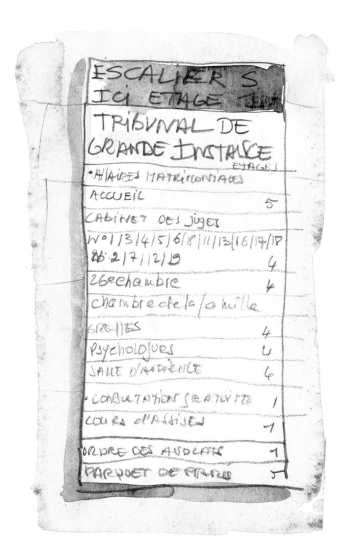

ESCALIER S
ICI ETAGE 1
TRIBUNAL DE
GRANDE INSTANCE
ETAGE 1
• AFFAIRES MATRIMONIALES
ACCUEIL   5
CABINET DES JUGES
N° 1/3/4/5/6/8/11/13/16/17/18
20·2/7/12/19   4
26e chambre   4
Chambre de la famille
GREFFES   4
Psychologues   4
SALLE D'AUDIENCE   4
• CONSULTATION GRATUITE   1
COURS D'ASSISES   1
ORDRE DES AVOCATS   1
PARQUET DE PARIS   5

Dans la salle d'attente.

C'est généralement à l'occasion d'un divorce qu'un citoyen ordinaire entre pour la première fois dans un palais de justice. Il peut être très jeune depuis que la loi exige que le juge entende les enfants de plus de treize ans. Les affaires de famille ne soulèvent pas, la plupart du temps, beaucoup de difficultés juridiques mais peuvent poser, en revanche, de délicats problèmes humains. Dans les jugements, il sera plus souvent question d'affects que de concepts. C'est la raison pour laquelle les psychologues sont de plus en plus intégrés au travail juridictionnel. On y recherche l'intérêt de l'enfant et le juge poussera le couple à trouver un concordat pour régler sa faillite. Ne croyez pas que sa tâche soit plus aisée pour autant.

Un vieux conte tamoul dit que, si le juge ne parvient pas à restaurer la paix, il sera châtié à son tour. Dans ce type d'affaires, ce n'est pas tant la réforme par la Cour d'appel que le juge redoute que le refus des parties à reconnaître pour juste sa décision. La moindre erreur d'appréciation, une parole involontairement blessante ou la négligence de tel détail surchargé de sens, seront immédiatement sanctionnées par les faits, ne serait-ce que par le nombre de procès et d'appels qui s'en suivra.

Une petite fille, seule. Elle
attend d'être reçue dans le bureau
du psychologue où ses parents
sont en consultation.
"Dessine-moi mon parapluie".
Elle regarde : "tu dessines bien,
pour une femme !"

13h15
L'attente avant l'audience.

PAR CES MOTIFS

LE TRIBUNAL,

Statuant par jugement réputé contradictoire ;

Vu l'ordonnance du 19 MAI 1992, constatant le double aveu
par les époux de faits qui rendent intolérable le maintien de
la vie commune et les autorisant à résider séparément ;

Prononce le divorce de :

né le 25 FÉVRIER ▅▅▅
à TOULOUSE (Haute-Garonne)

et de

née le 19 DÉCEMBRE ▅▅
à PARIS 17ème

Dit que la mère exercera l'autorité parentale sur l'enfant
mineur ▅▅▅ ;

Dit que, sauf meilleur accord des parents, le père
bénéficiera d'un droit de visite et d'hébergement s'exerçant :

- Les 1ère, 3ème et 5ème fins de semaine du samedi après-
midi à la sortie des classes au dimanche 20 heures ;

- La première moitié des vacances scolaires les années
paires, la seconde moitié des années impaires ;

à charge pour le père de venir chercher ou faire chercher
l'enfant au domicile de sa mère et de l'y reconduire ou faire
reconduire ;

10h35
Audience collégiale - 2ème chambre -

ESCALIER

TRIBUNAL
POUR ENFANTS
PETIT PARQUET

le couloir qui mène au tribunal pour enfants

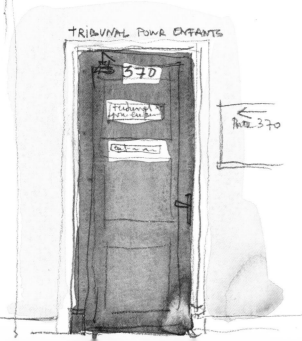

TRIBUNAL POUR ENFANTS

370

Porte 370

Le juge des enfants - c'est l'originalité du système français - cumule les missions de protéger l'enfance en danger et de juger la délinquance juvénile. Tout simplement parce que ces enfants sont les mêmes. La justice se déroule presque exclusivement dans le cabinet du juge. Là, plus de décorum ou de robes : tout est censé passer par le dialogue. Le juge y reçoit les parties concernées et doit à la fois écouter, interroger, admonester et expliquer ses décisions. Ne vous y trompez pas : dans ces modestes bureaux, avec l'aide de travailleurs sociaux anonymes et peu reconnus, il se livre un combat aussi essentiel qu'invisible contre la reproduction de la misère à un moment de la vie où le destin est encore flexible. Le jugement dernier était représenté, en Chine, sous forme d'un grand registre, sur lequel étaient inscrites les bonnes comme les mauvaises actions, que consultaient des fonctionnaires divins. Tout se passe comme si, pour certains enfants, les comptes ne parvenaient pas à se solder et que le passif se transmettait impitoyablement de génération en génération. Aux fonctionnaires de la justice humaine d'enrayer avec leurs modestes armes ce *fatum*, faute de quoi les enfants rentreront dans la vie comme ces objets au rebut, entassés dans un recoin du couloir.

Dans le tribunal pour enfants, au pied de l'élégante rampe d'escalier 1930, des étrangers, escortés par des gendarmes, viennent consulter à tour de rôle un avocat autour d'une table de fortune. Étrange cohabitation.

25 Juin 1994

M. Bruel
Président du
tribunal pour enfants

Banquettes en transit

Audience d'assistance
éducative -

" Alors, ça ne va pas, tu n'as pas l'air d'aller très bien, hein ? "

— Et ta mère, comment va-t-elle en ce moment ?
— Pas bien...

Audience pénale –
"Mes enfants, 'y sont bien ! Moi, j'ai fait la guerre 40 jusqu'au bout. J'ai pas fait l'école française !" –

L'avocat, très à l'aise. L'interprète, raide et attentif –

"tu n'as besoin de rien, hein ? Dis-le à la dame."

Le juge reste seul avec le mineur, selon le désir de celui-ci - "Alors, qu'est-ce qui ne va pas ?"

La greffière prend tout en note sur son Mac-

Dossiers roses = audience civile -

- psychologue - L'enfant - la mère - Le juge - L'éducatrice - La directrice de Foyer -

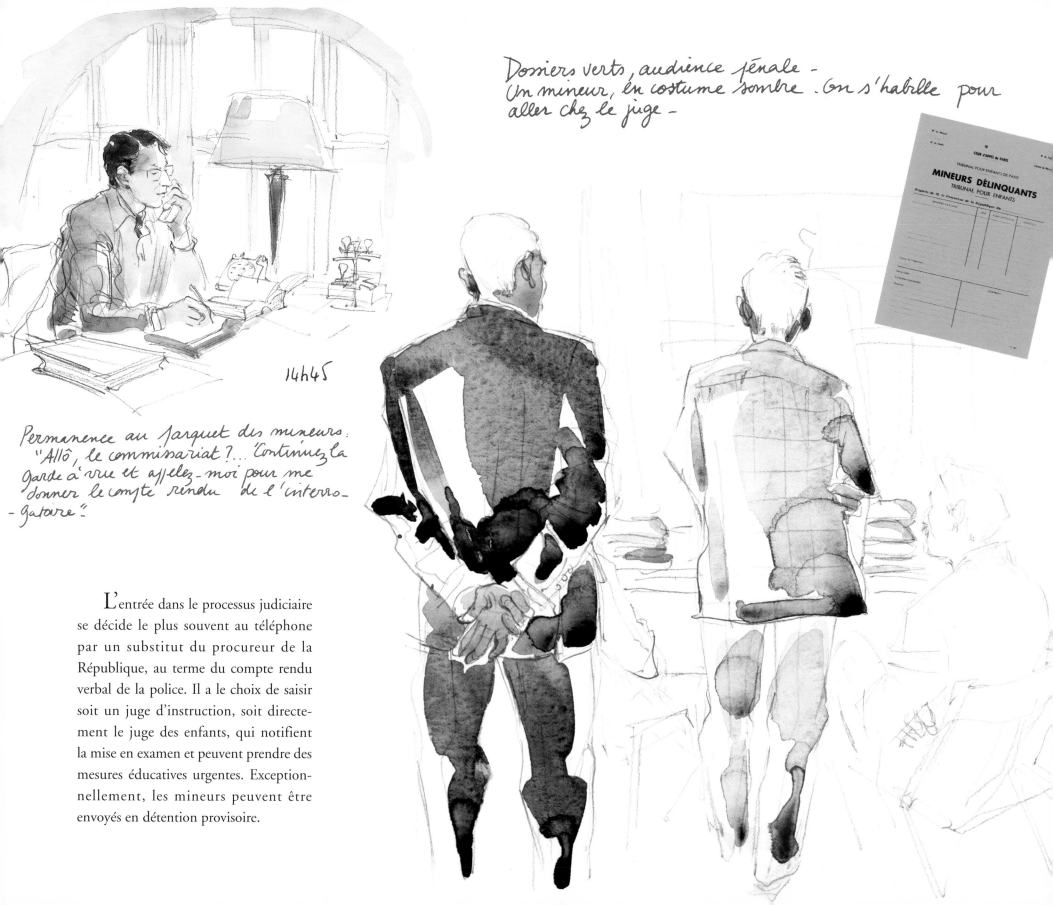

Dossiers verts, audience pénale -
Un mineur, en costume sombre . On s'habille pour
aller chez le juge -

MINEURS DÉLINQUANTS
TRIBUNAL POUR ENFANTS

14h45

Permanence au parquet des mineurs:
"Allô, le commissariat ?... Continuez la
garde à vue et appelez-moi pour me
donner le compte rendu de l'interro-
-gatoire".

L'entrée dans le processus judiciaire
se décide le plus souvent au téléphone
par un substitut du procureur de la
République, au terme du compte rendu
verbal de la police. Il a le choix de saisir
soit un juge d'instruction, soit directe-
ment le juge des enfants, qui notifient
la mise en examen et peuvent prendre des
mesures éducatives urgentes. Exception-
nellement, les mineurs peuvent être
envoyés en détention provisoire.

1995

T.G.I. DE PARIS
TRIBUNAL POUR ENFANTS

— 9 MAI 1995

CABINET 1-10

POUR COPIE CERTIFIÉE CONFORME
Le Greffier.

EXTRAIT DES MINUTES
DU GREFFE

15h20

Une jeune fille majeure revient voir sa juge qui
la suit depuis 5 ans pour lui parler de ses problèmes.
"C'est très difficile de décider seule quand on est
majeure", me confie le juge.

Une femme vient demander la garde
de son bébé. Aucune entente possible
avec son mari. Le juge tranchera.

Ce colosse a 16 ans. Il bégaye devant
le juge.

Nogent s. Marne
le 11 mai 1995.

Madame,

Je vous remercie bien vivement des photocopies des dessins concernant la tapisserie du Tribunal pour enfants. Celles-ci évoquent pour moi de vieux et attachants souvenirs.

Je vous confirme que cette tapisserie a été commandée et exécutée à la suite de la promulgation de l'ordonnance du 2 février 1945 qui a créé le juge des enfants et le Tribunal pour enfants en France et a remplacé les anciens tribunaux pour enfants et adolescents. De mémoire, elle a été commandée par Monsieur Botret de Andreïs, qui est devenu le deuxième président du T. E. de Paris, l'un de mes prédécesseurs.

Son auteur est Georges Devêche, comme l'indique l'inscription portée vers le bas à droite. Je ne suis pas en mesure de vous en dire davantage sur cet artiste.

Je vous prie d'agréer, Madame, l'assurance de ma haute considération.

Gaston FÉDOU
Conseiller honoraire à la Cour de Cassation

Le Substitut du
Procureur

Quelques affaires, particulièrement graves, sont renvoyées au tribunal pour enfants. C'est une manière de mettre le mineur devant ses responsabilités en le confrontant au monde froid de la Loi. Cela peut produire des effets heureux la première fois ; mais cette ressource symbolique doit être utilisée avec parcimonie tant le mineur risque de vite s'habituer à ce nouveau décor.

Au tribunal pour enfants, le juge des enfants est assisté de deux assesseurs non professionnels. L'éducateur, en donnant des renseignements sur la personnalité de l'adolescent, y joue un rôle essentiel.

Au tribunal pour enfants, l'un des assesseurs est une directrice de crèche. Elle siège un jour par mois. Elle est également famille d'accueil pour une jeune fille de l'Aide Sociale de l'Enfance. "J'ai perdu un enfant, quelqu'un s'en occupe là-haut. Je peux m'occuper d'un enfant ici."

Audience pénale dans la 25 ème chambre.

L'éducateur à l'audience

Carnet 2

Le hall d'entrée du Dépôt -

Itinéraire d'un prévenu

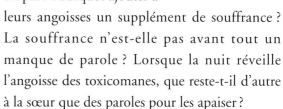

Le dépôt est le lieu dans lequel les gens qui viennent d'être interpellés par la police sont retenus avant d'être présentés au substitut, c'est-à-dire lorsqu'aucune culpabilité n'a encore été établie par la justice à leur encontre. De tous les acquis révolutionnaires, la présomption d'innocence, en posant le principe que la moralité du citoyen n'a pas à être prouvée, est probablement le plus lourd de sens. Mais cette fiction garde quelque chose d'insupportable et, ici comme dans tout le procès inquisitoire, c'est le soupçon qui continue de faire loi. Ce qui prouve a contrario que ce dogme n'a rien perdu de sa fraîcheur révolutionnaire.

L'architecture spontanée du dépôt puise dans les tréfonds de notre inconscient son étrange rationalité. Construits au Moyen Âge, les premiers palais de justice l'étaient en deux parties : le niveau inférieur, aveugle, réservé aux cachots, et le bel étage, généreusement éclairé, où se tenait l'auditoire. Ce symbolisme cosmique opposait le monde infernal de la contrainte des corps - le mot géhenne désignait aussi bien l'enfer que la torture - à l'univers éthéré de la parole et du jugement. Aujourd'hui, le contraste reste saisissant entre ce monde souterrain et l'univers aérien de la parole, de l'éloquence et de la délibération.

Regardez ces ombres humaines, écoutez leurs plaintes, les coups à la porte et leur révolte stérile. Pourquoi ne leur répond-on pas ? Pourquoi ajouter à leurs angoisses un supplément de souffrance ? La souffrance n'est-elle pas avant tout un manque de parole ? Lorsque la nuit réveille l'angoisse des toxicomanes, que reste-t-il d'autre à la sœur que des paroles pour les apaiser ?

Une démocratie, disait Churchill, se mesure à la manière dont elle traite ses prisonniers. Quand l'homme comprendra-t-il qu'on n'exorcise pas le mal en diabolisant l'Autre, le criminel, le fou ou l'étranger ? Que cette vaine entreprise a conduit le vingtième siècle aux débordements que l'on sait ? Qu'en voulant conjurer le mal, c'est en réalité la démocratie que l'on blasphème ?

7 juin 1993 - 14h15
Devant la porte extérieure du Dépôt - J'ai rendez-vous avec sœur Marie-Noëlle - Un quart d'heure à attendre... Je sors mon carnet - A peine le temps d'esquisser quelques traits, un officier de police m'interpelle :
« Qu'est-ce que vous faites là ? Avez-vous une autorisation ? »
Me voilà embarquée sur-le-champ dans le bureau du Commandant du Dépôt - Ça commence bien !

Le Dépôt, lieu infranchissable, précédé d'une
réputation glauque. Le policier de garde examine
avec perplexité mon autorisation.
   - Vous allez dessiner ?
   - Je prépare un livre d'aquarelles sur le Palais !
   - Des aquarelles ? Moi aussi j'en fais, mais c'est
difficile, surtout les portraits.
Apprivoisé, le policier me tend un badge.

La cireuse électrique.

Les couvertures sales sont
portées à Nanterre.

Me voilà dans le hall_
Un va_et_vient
continu de policiers,
d'hommes, menottés
aux poignets.

Au fond, contre le mur,
des boxes vitrés = c'est
le parloir du centre de
rétention_ J'aperçois
une silhouette moulée
dans une robe noire
largement décolletée:
c'est un travesti_

Crue du 29 Janvier 1910

une malle
contenant des
scellés judiciaires
part au contrôle
pénal.

SECRETARIA

Au quartier des femmes, soeur Marie-
Noëlle m'accueille. De ce côté, le Dépôt
est tenu par une communauté de religieuses, les soeurs de Marie-Joseph et de
la Miséricorde.

Le Dépôt est leur lieu de travail, leur
lieu de vie, leur couvent. Sur le registre
des dépenses journalières, soeur Marie-
Stéphanie écrit : "Bon pour la réparation
des tuyaux de la chambre de Marie-Louise."

Dédée

Marie-Louise est l'une des
quatre auxiliaires recueillies par
les soeurs. En échange de quelques
heures de service par jour, elles
trouvent ici le lit, le couvert et
un peu d'argent de poche.
Marie-Louise, ancienne alcoolique,
semble heureuse, apaisée après une
vie de galère. Quand je reviens le
lendemain, Marie-Louise a fait
une fugue. "Ce n'est pas la première!"
Malgré les recherches, on ne la
reverra plus au Dépôt. Les soeurs
apprendront plus tard qu'elle a
"replongé".

16h -10

Le Dépôt des femmes -
Marie - Louise parle avec Sœur Marie - Stéphanie -

Une femme étrangère en rétention admi-
-nistrative a dormi dans cette cellule en
attendant d'être reconduite à la frontière -
où est-elle aujourd'hui ?

Une femme vient de
passer la nuit avec son
bébé de 18 mois dans cette
cellule, la seule à posséder
un lit d'enfant -
où est-elle aujourd'hui ?

La soeur cuisinière –

nettoyage
des cellules –

séance de repassage –

Le carillon Westminster –

Dédée va être décorée pour
25 ans de bons et loyaux
services au Dépôt, quartier
des femmes –

Dédée –

Jeanine

Véronique fait partie
de la police – Elle a été
pendant deux ans en
arrêt maladie – trop fragile
pour reprendre son travail
de gardien de la paix, elle
a volontiers accepté un
poste au Dépôt. Au milieu
des soeurs, elle a retrouvé
la sérénité –

Ancienne commerçante,
Josette est entrée sur concours
dans la police – Elle est main-
-tenant dame fouilleuse au
Dépôt – Elle essaie d'apporter
un soutien psychologique à
toutes ces femmes en détresse –

"Allez, tout se passera bien!"
Les sœurs réconfortent une
jeune toxicomane - Une habituée
du Dépôt - Perdue, sans famille,
sans travail, elle se retrouve
ici presque chaque semaine -

Une femme enceinte, mineure,
arrive au Dépôt - Elle perd les
eaux - On veut la conduire
à l'hôpital - Elle hurle en se
cramponnant aux barreaux de
son lit. Elle partira à l'hôpital -

Une sœur réconforte un
transexuel. Les travestis sont
placés dans le quartier des hommes,
les transexuels dans le quartier des
femmes - Rejetés par les uns et
par les autres, que peuvent faire
pour eux les sœurs ?...Les écouter.

18h. De l'autre côté du
mur, des bruits sourds:
"Qu'est-ce que c'est ?" "C'est le
quartier des hommes ; ils
appellent en tapant sur les
portes ; personne ne leur
répond."

"Dans cet univers où la justice des hommes s'exerce, nous avons le désir de vivre la justice de Dieu, son humanité." Soeur Marie-Noëlle.

La Chapelle du couvent.

Soeur Véronique, irlandaise.

Soeur Marie-Hélène, espagnole.

Soeur Marcelle, bordelaise.

Soeur Marie-Noëlle, Haute-Loire.

Le jardin des soeurs. Pendant que je dessine, un petit chat coincé dans la "grotte" miaule lamentablement. Demain, il faudra démolir la grotte pour libérer le chat !

"Nous avons fait l'Europe avant tout le monde, ici !"

Le coin de cour où les femmes en rétention viennent prendre l'air.

Au dessus de la cour, les fenêtres des chambres de Dédée, Jeanine, Louisette, Marie-Louise. L'encadrement de la fenêtre de Dédée est plus sombre que les autres : elle y fume depuis plus de 20 ans !

Soeur Ludivine, hollandaise.

Soeur Stéphanie, bretonne.

Soeur Gabrielle, normande.

Il manque Soeur Marie-Alphonse, irlandaise, et soeur Myriam, espagnole.

"Ma soeur, soyez naturelle !"
"Non, ma soeur, il faut être surnaturelle !"

Le chemin de ronde autour de la cour avec les chambres des soeurs fleuries de géraniums.

DRING !

Encore le 37 !

19 h. La nuit tombe —
L'atmosphère est de plus en plus
lourde. Une toxicomane en
manque appelle : "Ma soeur ! ma
soeur !" Seul le médecin peut
donner des médicaments.
"Allons, calmez-vous, je vais vous
préparer une tisane !"—

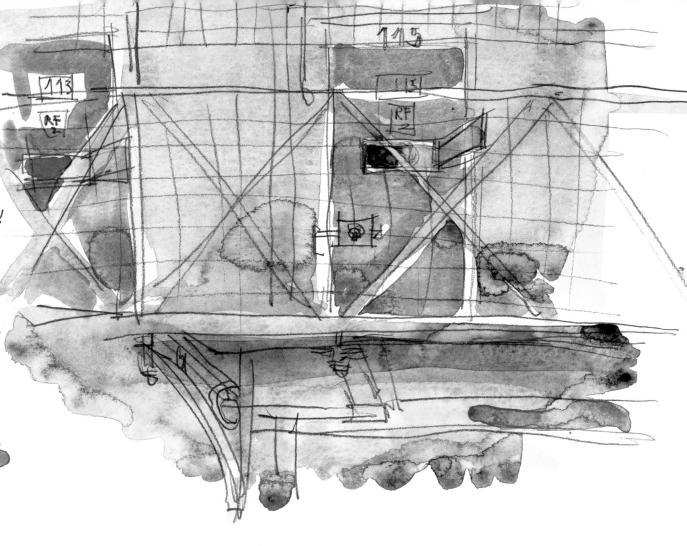

Au 1er étage, dans le quartier des étrangères en rétention,
une femme crie : "ma soeur, j'ai froid !" Le médecin tarde à
venir. Tout le Dépôt semble pétrifié par ses hurlements. La
femme est transférée à l'hôpital, son état de santé s'avérant
incompatible avec l'incarcération au Dépôt—

21 h. Le calme revient. Soeur Gabrielle s'installe pour
la garde de nuit.

Seuls les cris et les coups frappés sur les portes résonnent
de l'autre côté du mur, dans le quartier des hommes—

QUARTIER des HOMMES

RECEPTION

M'DAME!
M'DAME!

La fouille avant de partir chez
le juge d'instruction -

Par les petits trous percés dans le
plexiglas des portes, les prévenus glissent
leur cigarette que les policiers allument
avec leur briquet -

"M'sieur, s'il vous plaît,
une cigarette!"

Le Dépôt des hommes – A gauche, le quartier des mineurs –
En arrivant, on retire aux prévenus leurs lacets et leur ceinture –

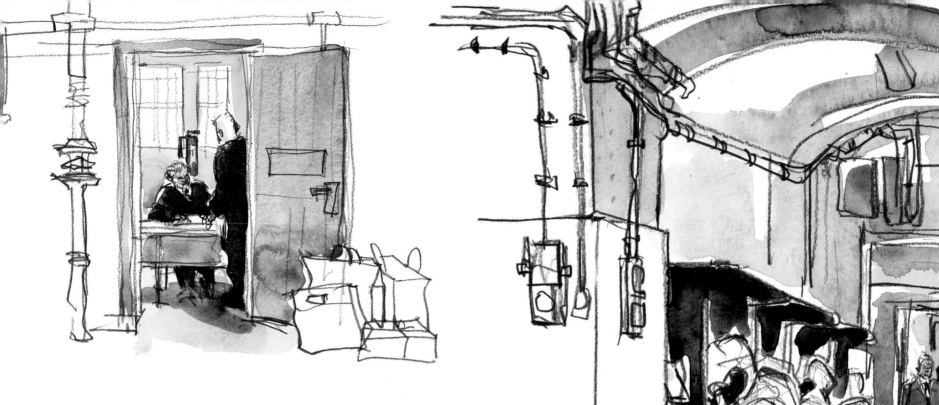

Dès leur arrivée, les
étrangers en rétention
passent au bureau
d'accueil avant d'être
conduits dans des
cellules de 1, 3 ou 10 lits.
Là, ils vont attendre
d'être reconduits à la
frontière -

Une heure par jour, ils
sortent prendre l'air
dans une cour exiguë
regardent la télévision.
Ils sont autorisés à
téléphoner - Devant les
quatre postes, l'attente
est longue, l'ambiance
électrique -

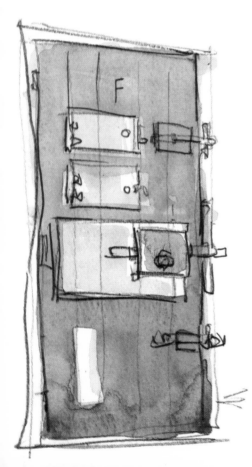

La porte de la cellule à 10 lits -

Un étranger dit à son garde :
- Jamais j'ai entendu quelqu'un gueuler
comme ça !
- Avance ! je peux faire pire !

Au fond du Dépôt des étrangers, en prolongement du Dépôt des femmes, le quartier des travestis. Une odeur puissante, pimentée, sucrée, indéfinissable, prend à la gorge. Derrière les portes, des cris, des appels. Une jeune femme policier vient signer le registre des rondes. "R.A.S." "C'est un quartier difficile. On est obligé de les isoler des autres, ils ne pensent qu'à "ça". A l'école de police, on n'est pas formé pour être ici."

Une cellule à trois lits. La table, le banc sont vissés au sol. "Obligatoire, sinon tout serait détérioré en quelques jours." Les sanitaires sont d'une saleté repoussante, les murs couverts de graffitis. "Et pourtant, les locaux ont été réaménagés il y a deux ans" me confie soeur Marie-Noëlle. Mais ici, qui se soucie de qui, de quoi ? Abandon total, désespoir absolu. Un travesti a dû laisser ses bottes à talons, lacets défaits, à la porte de sa cellule, règlement oblige. On vient le chercher pour le conduire chez le juge d'instruction. En passant, il me sourit, lance un regard curieux au matériel de dessin éparpillé sur la table et s'éloigne, silhouette fellinienne, dérisoire.

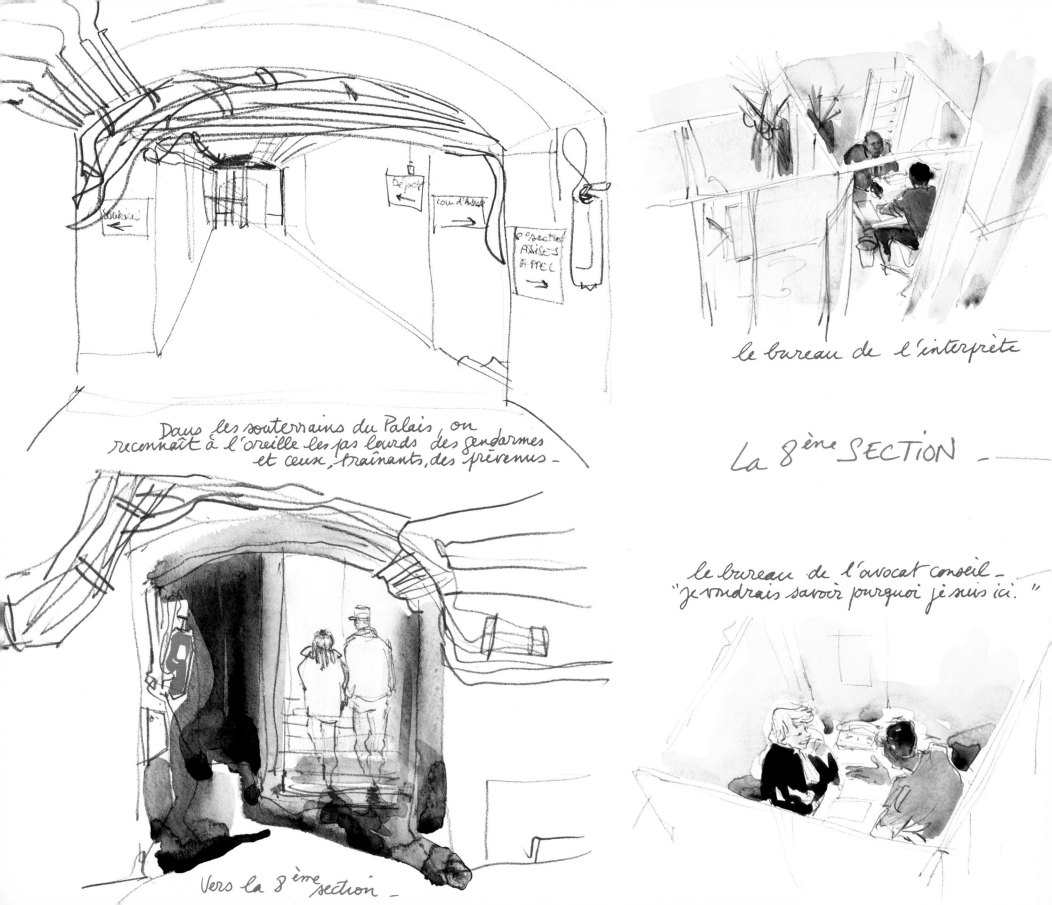

Dans les souterrains du Palais, on reconnaît à l'oreille les pas lourds des gendarmes et ceux, traînants, des prévenus.

le bureau de l'interprète

La 8ème SECTION

le bureau de l'avocat conseil —
"je voudrais savoir pourquoi je suis ici."

Vers la 8ème section —

Escortés par les gendarmes, menottes
aux poignets, les prévenus sont conduits
chez le Substitut du Procureur qui va
décider de leur sort = remise en liberté,
renvoi devant le tribunal correctionnel
ou présentation à un juge d'instruction-

Mercredi 18 janvier
11h.

La relève de la garde de la 8ème section.
Une fois par mois, une unité de gendarmes,
venue de province, vient remplacer celle en
place.

14h05

Mobilier dépareillé, éclairage
douteux, la galerie d'instruction.

14h35

Dans le cabinet du juge, le prévenu,
débarrassé de ses menottes, est interrogé.

SOURICIÈRE ←

Vers la Souricière -

Soeur Marie-Hélène me croise en train de dessiner.
"C'est le carrefour le plus mauvais des souterrains, vous
allez prendre froid !" Elle pose sur mes épaules son
châle de laine en s'excusant de sa couleur noire -

- "Pourquoi vous me poussez comme ça ?"
- "Avance !"

A la Souricière,
repeinte de frais, on
ne dort pas - Les détenus
arrivent chaque matin
des différentes prisons et
passent la journée dans
des cellules en attendant
d'être présentés au juge
d'instruction ou d'être
jugés -

	ARRIVÉE	DÉPART
SANTÉ	21	
FLEURY.HJD	33	
FLEURY.MAF	5	
FRESNES	6	
AMBULANCE		
PASSAGERS	ARRAS 1 MANIÈRE	1 VILLE...
SPÉCIAUX	1 F	

Dans le bureau du Commandant,
un panneau annonce chaque jour
l'état des effectifs -

QUARTIER DES HOMMES A

LE SILENCE EST DE RIGUEUR

Au fond de la salle, des hommes en fin de peine, choisis pour leur bonne conduite, s'occupent de l'entretien des locaux.

Au quartier des femmes, ce sont encore les soeurs qui, par leurs paroles, tentent de calmer les angoisses des détenues - Soeur Marie-Hélène me souhaite la bienvenue : "Si vous étiez venue plus tôt, vous nous auriez entendues chanter !" Elle passe d'une cellule à l'autre, joviale, attentive.

"Ah! tu as fait appel, tu es avec quel juge ? Ah, là, là… " "Et toi! Comment ça va là-bas ? tu souffres souvent de la tête? Ah, c'est le trac, en français, on appelle ça le trac !"

Ici, pas de médicaments, pas d'aspirine ! C'est une fois de plus la tisane qui soigne le trac et le mal de tête, ou le café qui réconforte - "Mais nous ne sommes pas à plaindre - Au quartier des hommes, il n'y a rien de chaud à boire -"

Un gendarme vient chercher une détenue. Il promène sur elle le détecteur de haut en bas, lui passe les menottes :
- C'est obligatoire ?

- Je vais pas les serrer - Depuis 1983 seulement, les femmes doivent porter les menottes - Avant cette date, c'était un "privilège" réservé aux hommes -

Une détenue lance à sa voisine de cellule :
"T'as pas tué ? Alors, c'est pas grave !" Ambiance bon enfant, conviviale, qui atténue pour un moment l'angoisse de ce qui va venir -

16 h 25
Le fourgou
cellulaire vient
chercher les
détenus pour
les reconduire
à la prison.

« *En sortant du palais de justice pour monter dans la voiture, j'ai reconnu un court instant l'odeur et la couleur du soir d'été. Dans l'obscurité de ma prison roulante, j'ai retrouvé un à un, comme du fond de ma fatigue, tous les bruits familiers d'une ville que j'aimais et d'une certaine heure où il m'arrivait de me sentir content. Le cri des vendeurs de journaux dans l'air déjà détendu, les derniers oiseaux dans le square, l'appel des marchands de sandwiches, la plainte des tramways dans les hauts tournants de la ville et cette rumeur du ciel avant que la nuit bascule sur le port, tout cela recomposait pour moi un itinéraire d'aveugle, que je connaissais bien avant d'entrer en prison. Oui, c'était l'heure où, il y avait bien longtemps, je me sentais content.* »

Albert Camus, *L'Étranger.*

La plate-forme des Correctionnelles

TRIBVNAL CORRECTIONNEL

Carnet 3

Est-ce un hasard si tous les prévenus de la vingt-troisième chambre correctionnelle ont le même aspect ? C'est dans cette chambre que l'on juge en comparution immédiate les affaires, qui répondaient autrefois au sinistre nom de « flags », concernant des personnes venant d'être arrêtées par la police. Tous les prévenus y sont justiciables d'une loi écrite nulle part mais qui se vérifie à tout coup : n'importe qui, après quarante-huit heures de garde à vue auxquelles s'ajoutent de nombreuses heures - voire une journée entière - au dépôt sans possibilité de se raser, de se laver ni de se changer, finit par avoir ce même visage gris et hirsute. Comme si l'institution, à contre-courant de ses intentions affirmées, sécrétait des individus comme elle les veut, c'est-à-dire présumés coupables.

Peut-on échapper à ce moment solennel de l'audience, à vrai dire peu propice à l'individualisation ? Cette forme de justice est-elle modernisable ? Toutes les alternatives en apparence plus douces se sont avérées plus pénibles pour les prévenus eux-mêmes, parce que plus indiscrètes et plus intrusives. Il ne semble pas qu'il faille faire l'économie de ce moment rituel. Une véritable humanisation, qui demande une relation et donc du temps, s'organise autour de ce moment mais ne s'y substitue pas.

23ème chambre correctionnelle
Comparutions immédiates.

Depuis peu, pour certains délits et lorsque le prévenu ne comparaît pas détenu, ce n'est plus un collège mais un juge unique qui compose le Tribunal correctionnel. Cette réforme, contrariant une tradition séculaire, est probablement une nécessité, ne serait-ce que pour désengorger la justice.

On se dirige ainsi silencieusement vers un modèle commun de juge qui emprunte à la fois à la tradition anglo-saxonne de la *Common Law* et à la tradition du droit romain. Ce qu'il faut encourager, à condition que l'on additionne les garanties et non les défauts.

Les prévenus et leurs avocats

Sur les bancs
du public -

le substitut
du procureur -

15e chambre

ESCALIER H
ETAGE 1

13h20

l'attente avant l'audience à la
15ème chambre correctionnelle
(violences sexuelles sur mineurs).

Chaque jeudi après-midi, une jeune femme sculpteur vient modeler en direct les acteurs de l'audience.

Une victime vient témoigner:
- On m'a dit que j'étais sélectionnée!
Le Président: - Ce qui signifie?
- Ils avaient choisi les meilleures!
Le Président: - Ça ne vous a pas étonnée?
- Non, c'est vrai, j'étais la meilleure!

L'appariteur s'ennuie...

13ème chambre correctionnelle (affaires d'escroquerie)

La grande salle d'assises.

16 NOV
11 h 25

COUR D'ASSISES

La Cour d'assises juge les crimes, c'est-à-dire les infractions les plus graves comme les meurtres, les viols, les incestes ou encore les attaques à main armée. Elle est composée d'un président, de deux juges et de neuf jurés, soit douze personnes au total, autant que les apôtres (l'origine chrétienne est patente). Le jury est l'une des plus anciennes institutions pénales européennes : venue du nord de l'Europe avec les invasions normandes, elle a été oubliée puis réintroduite en France par l'intermédiaire de l'Angleterre qui l'a toujours conservée.

Les jurés se retirent avec les juges pour décider ensemble de la culpabilité et de la peine. Tirés au sort sur les listes électorales depuis 1978, on en conteste aujourd'hui la légitimité ; mais ne rappellent-ils pas à tous, aux juges professionnels comme aux citoyens ordinaires, que la justice est rendue « au nom du Peuple français » ? Le tirage au sort peut surprendre : il s'agit pourtant de la plus ancienne forme de représentation politique et de l'un des derniers vestiges de démocratie directe. Le Président commence par expliquer aux nouveaux jurés en quoi va consister leur fonction. Est-il possible de former un juge en quelques heures ? Oui, à condition de garder à l'esprit que la qualité de citoyen est le seul diplôme requis pour juger.

Les assises sont une épreuve, aussi bien physique que morale, pour tous les participants : pour l'accusé, bien sûr, qui se tasse au fur et à mesure que le procès avance et qui semble accablé par tant de signification trouvée non seulement à son geste mais aussi à sa propre vie, à son enfance brisée, à son mariage précoce… Épreuve pour les jurés également qui, arrivés inquiets, repartent souvent enthousiasmés par cette forte expérience civique. L'émotion souvent intense, parfois insoutenable, les épuise ; d'autant que les jurés sont plus sensibles et moins aguerris que les juges professionnels. Mais n'est-ce pas précisément cette sensibilité qui est recherchée ? Et les avocats ? Leur apparente aisance est trompeuse. Sans doute redoublent-ils d'éloquence et d'effets de manches pour se donner une contenance et maîtriser le trac. Le public exerce également, par sa seule présence, une fonction ; on ose à peine penser ce que serait une justice que l'on ne regarderait plus qu'au travers du petit écran.

Les heures qui courent de la fin des débats jusqu'au verdict sont parmi les plus longues qui soient. Voyez cet accusé menotté pendant des heures à un gendarme : que peuvent-ils bien se dire ? Mais d'ailleurs, se parlent-ils ?

12h55

Les jurés font la queue pour présenter leur
pièce d'identité.

Dans son bureau, le Président
de la Cour d'assises étudie ses dossiers.

Contrôle d'identité.
Un juré : - Qu'est-ce qu'ils vont nous faire ?
Le greffier : - Ne vous inquiétez pas, tout se
passera bien.

Sur les 32 jurés présents,
10 demandent à être dispensés.
Délibération de la Cour,
on attend ...

Le vestiaire
du Président.

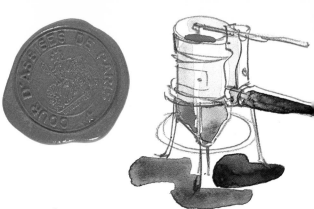

La machine à scellés.

Le premier jour de la session, le Président explique aux jurés quel sera leur rôle. Cet après-midi-là, fâché par le nombre important de jurés demandant à être récusés, le Président leur lance un vigoureux : "Vous m'avez déçu !"

Au début de l'audience le Président appelle les jurés dont les noms sont inscrits sur des jetons. Il met les jetons dans l'urne, les remue bruyamment et en ressort autant de noms qu'il faudra pour composer le jury.

Le vestiaire des assesseurs.

CODE DE PROCÉDURE PÉNALE

Article 255
Peuvent seuls remplir les fonctions de juré, les citoyens de l'un ou l'autre sexe, âgés de plus de vingt-trois ans, sachant lire et écrire français, jouissant des droits politiques, civils et de famille.

La loi ne demande pas compte aux
es des moyens par lesquels ils se
t convaincus, elle ne leur prescrit
de règles desquelles ils doivent faire
iculièrement dépendre la plénitude
a suffisance d'une preuve : elle leur
scrit de s'interroger eux-mêmes,
s le silence et le recueillement et de
rcher, dans la sincérité de leur
science, quelle impression ont faite,
leur raison, les preuves rapportées
tre l'accusé, et les moyens de sa
ense. La loi ne leur fait que cette
e question, qui renferme toute la
ure de leurs devoirs : « Avez-vous
intime conviction ? »

IDENTITE
JUDICIAIRE

Sorti de la Souricière à 12 h 15, l'accusé, tenu en laisse par un gendarme, traverse les souterrains du Palais - Je monte l'escalier qui le conduit à la salle d'attente réservée aux accusés - Au-delà de ce palier, personne ne semble s'être jamais aventuré -

CHAMBRE DU CONSEIL

l'appariteur annonce :
"LA
COUR !"

13h30

TÉMOINS

L'avocat au témoin :
« Mais dites-moi, vous-même, vous
n'étiez pas lié à l'accusé ? »

Dans cette salle d'attente, sinistre, les témoins peuvent
attendre plusieurs heures avant d'être appelés à la barre.

16h 1.

Premier témoin : La gardienne
de la loge où a eu lieu le crime.

Au fil du témoignage, l'accusé se tasse.

À la barre, on appelle successivement le médecin légiste, le psychologue, l'expert en balistique, le toxicologue, le graphologue.

Sur les bancs
de la presse judiciaire -

La greffière prend note
des débats -

L'accusé répond aux questions du
Procureur.

C'est l'heure du réquisitoire.
Devant la cour et les jurés, l'Avocat général
martèle ses arguments.

Un des avocats de l'accusé :
— Regardez-le, ce déchet ! Il ne connaît même plus le nom de son fils !

L'avocate de la victime et la femme de celui-ci.

"Que dit
le médecin légiste ?"

"2h du matin,
rue du Panthéon..."

"Je demande
l'acquittement"

"Et les policiers
que font-ils ?"

"Mesdames et Messieurs
les jurés..."

"Lui, bien sûr !
mon client"

"Cette mère, possessive
sans doute..."

La table des délibérations
après le verdict –

Je demande à l'accusé l'autorisation
de le dessiner ; le gendarme me dit :
"c'est la première fois que quelqu'un
s'intéresse à lui –"

19h10
La Cour et le jury se retirent
pour délibérer. La porte se referme,
gardée par un gendarme.
L'attente commence –

Sur un banc en bois,
menottes aux poignets, l'accusé
compte les minutes.

0h 20 – Dans la salle, les conversations
vont bon train – Paulette, une habituée
des Assises, discute avec les gendarmes.
On la connaît bien, Paulette ! Depuis
20 ans, elle suit les procès pour tenter
de comprendre "comment ça marche
dans la tête des gens".

1 h 20 du matin.

… en conséquence, la Cour et le jury, à la
majorité absolue, condamnent l'accusé
███████████████ à la peine de 7 ans de
réclusion criminelle.

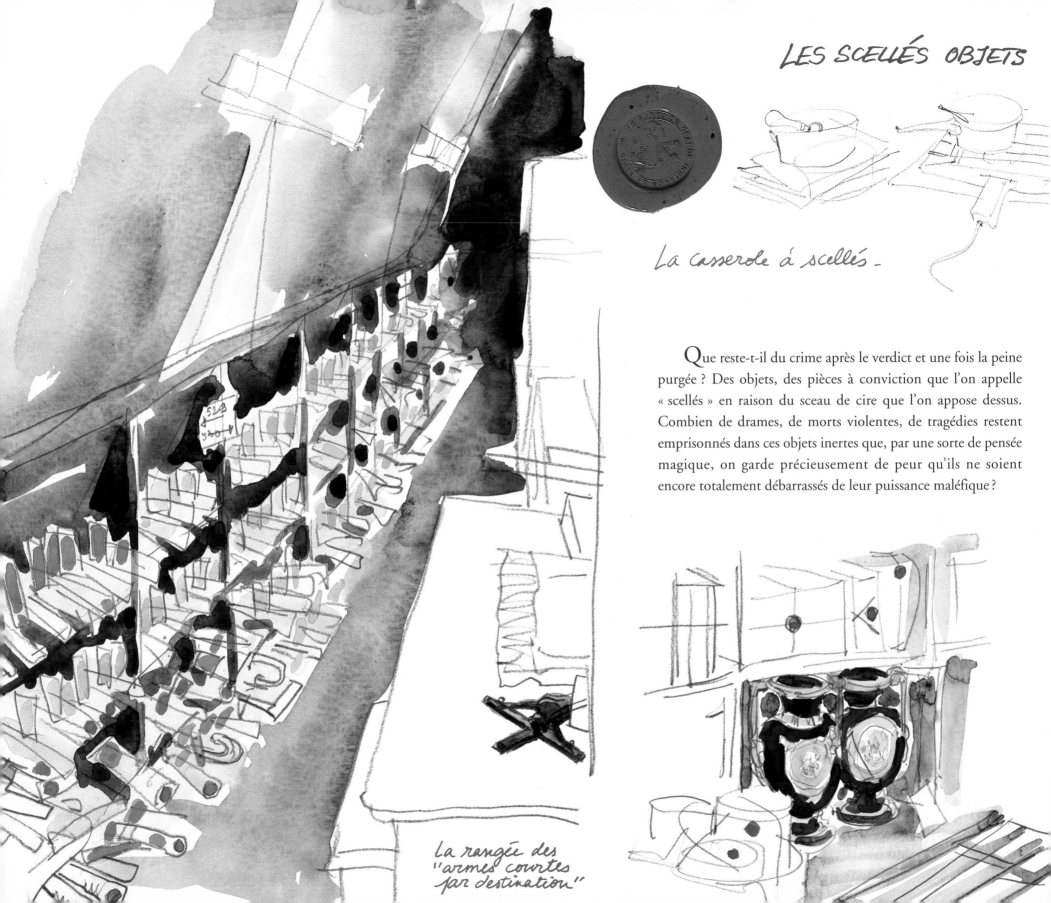

LES SCELLÉS OBJETS

La casserole à scellés.

Que reste-t-il du crime après le verdict et une fois la peine purgée ? Des objets, des pièces à conviction que l'on appelle « scellés » en raison du sceau de cire que l'on appose dessus. Combien de drames, de morts violentes, de tragédies restent emprisonnés dans ces objets inertes que, par une sorte de pensée magique, on garde précieusement de peur qu'ils ne soient encore totalement débarrassés de leur puissance maléfique ?

La rangée des "armes courtes par destination"

Vaccin contre l'hépatite A,
obligatoire. Masques, gants
chirurgicaux : la panoplie des
employés des scellés objets —

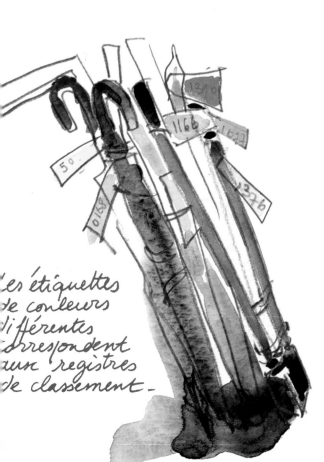

Les étiquettes
de couleurs
différentes
correspondent
aux registres
de classement.

objets

| M |
Moyens

| G |
Grands

| P |
Petits

| MG |
Moyens
Grands

OBJETS À detruire
1er Domaine 1995
Les sacs seulement
et leur contenu

Deux fonctionnaires
trient à longueur de
journée les scellés objets -
Ils jettent ceux qui
sont invendables et
donnent les autres
aux Domaines qui les
vendront par lots -

- M 605 - 2702 = 1 cafetière,
6 tasses. État neuf - C'est bon...
Aux Domaines d'Aubervilliers -
- Faudra mettre "Fragile", qui
z'aillent pas la casser !

610 scellés papiers
concernant deux affaires
d'abus de biens sociaux
arrivent de la police
judiciaire - En moins
d'une heure, ils seront
étiquetés, classés, mis
en carton -

le self
de
Harlay

La vie du Palais

Carnet 5

- CHIFFRES de
LA JOURNEE du 27/02/95.
- SELF.   1084 convives.
- CAFETERIA. 535 convives.
- SALONS.   AVANT.

Lunch 27/02/95 1000 couverts

Faux Filet   55 kg
Tomate Farcie 62,5 kg
grenille de Veau 10 B 15/1
JB   2,8 kg
entrecote   18 kg
Francfort   10 kg
Frites   130 kg
Coquillettes   27 kg
Carotte   40 kg
H. Beurré   45 kg
gruyère   8 kg

Cette immense machine réclame une ingénierie humaine et technique où chaque détail a son importance. Comme de remonter régulièrement la grande horloge de la cour du Mai, ou de ranger les innombrables clés. D'où cette variété de métiers qu'abrite l'édifice : des menuisiers, des électriciens, des hommes d'entretien. Il y a deux restaurants et autant de cuisines. C'est aussi une véritable caserne où se relèvent les gendarmes qui assurent la sécurité et les transfèrements. La presse judiciaire a son local. Il y a même un bureau de poste, deux banques et un cabinet médical. Sans parler des greffiers, des fonctionnaires et des appariteurs qui doivent gérer une quantité impressionnante de dossiers. Qui soupçonnerait que la profession de « saute-ruisseau » existe toujours ? Tous ces gens, qui sont les habitants autochtones de ce monde temporaire, se retrouvent, sans distinction de grade ou d'emploi, pour déjeuner au « self » de Harlay.

Le "piano" de la cuisine du self de Harlay.

Gaby, l'un des saute-ruisseau du Palais.

L'atelier de menuiserie du tribunal, dans les anciens locaux de la Souricière.
La fameuse porte aux 36 carreaux, bien connue des lecteurs de Maigret.

L'atelier de l'électricien.
Les vestiaires des ouvriers sont d'anciennes cellules.

"Quand j'étais petit, mon père nous faisait taire pour écouter à la radio les chroniques de Frédéric Pottecher sur le procès Kravtchenko. Maintenant, je le tutoie ; c'est une étrange compression du temps, comme si j'avais affaire à quelqu'un d'éternel".

Maurice Peyrot
chroniqueur judiciaire
au journal *Le Monde*

Frédéric
Pottecher-

PRESSE JUDICIAIRE

Fondée en 1887 par des avocats, la presse judiciaire est un club fermé, un peu mystérieux, d'environ 75 membres. Ils se réunissent chaque année pour leur assemblée générale dans un local vieillot où les croquis d'audience de l'affaire Dreyfus côtoient les Mac et les fax.

Sur la pendule est écrit : Henry Paute 1840.
Rue Honoré.
N°247

Monsieur Michel remonte à la
main trois fois par semaine la pendule
de la façade du Mai, et change
chaque jour les
rouleaux des
essuie-mains
des toilettes-

Sept façons de porter
les dossiers...

C'est par cette porte, actuellement celle de la buvette du Palais, que Marie-Antoinette partit pour l'échafaud.

Le porte-képis de la buvette-

Un "mixte-cornichon", s'il vous plaît!

13h35
La buvette du Palais

Les combles du Palais abritent "le sous-marin" construit
dit-on, d'après les plans de Gustave Eiffel au début du siècle.
Lieu magique qui conserve sur ses étagères poussiéreuses les registres
d'état civil des Parisiens depuis 1884 -

546

J Hugo

Victor Marie

——

Dans le registre D (décès) de 1885, l'acte de
décès de Victor Hugo, contresigné par son neveu.

Les couloirs sombres sont hantés par
des généalogistes venus de toute la France
faire des recherches pour des clients en
quête d'héritiers ou simplement de
racines.

Chaque jour depuis 20 ans, la greffière reçoit
de toutes les mairies de Paris les avis de mentions
de naissance, mariage, divorce, décès.
96 000 avis ont été classés à la main pour
l'année 1994 - C'est la mémoire de Paris!

CABINET DU MÉDECIN

Deux médecins se répartissent la garde au cabinet médical. La statue au sourire énigmatique sur la cheminée, aurait été laissée par un précédent médecin, nostalgique des colonies.
Le médecin soigne tout le monde, du conseiller à la cour au prévenu et jusqu'au badaud.

Quand on entre dans le bureau de l'infirmière, petite femme joviale on se croirait dans le bureau de Monsieur Pasteur !
Le look résolument moderne de l'infirmière - elle n'a même pas de blouse blanche - paraît anachronique.

Le Palais possède 2 banques -

BUREAU DE POSTES

GAZETTE
DU
PALAIS

1
MARS

CHONOPOST

collection

« IL Y A, POUR TOUTE
LA REPUBLIQUE, UNE
COUR DE CASSATION »

2.80

REPUBLIQUE FRANÇAISE   LA POSTE 1994

La poste et sa postière, férue de
timbres de collection -

REMA
PLANTA

Chaque mercredi à 9 heures du matin
un jardinier vient soigner les plantes de la salle
des Pas-Perdus et celles des Présidences -

Dans le bureau du responsable du service intérieur, monsieur Jacques plante le 213ème piton, espacé de 4 cm. du suivant, en rangées espacées de 11cm, pour aménager le nouveau placard à clés du tribunal. Quand il aura planté les 2439 pitons, il plantera 276 pitons-crochets pour accrocher les 2715 clés.

Les manutentionnaires guadeloupéens au tribunal

Le Colonel Renaud, Commandant militaire du Palais.
Il a en charge toute la sécurité du Palais.

Le chauffeur du colonel Renaud et la "Marianne-Bardot".

Quand ils ne sont pas en faction, les gendarmes se reposent dans une ancienne salle d'audience du tribunal de police. Ils regardent la télévision, jouent aux cartes, ou préparent studieusement leurs examens.

Ce magistrat de la République, président de chambre à la Cour de cassation, continue de porter sur ses épaules le costume que le Roi revêtait le jour du sacre et qu'il remettait aux premiers présidents pour qu'ils jugent en son nom. Un tel habit ne s'inscrit-il pas merveilleusement à côté du N napoléonien ? L'origine de ce costume, le plus vieux symbole civil encore en vigueur, remonte à la nuit des temps : on dit qu'il emprunte sa forme et sa couleur à la robe des grands prêtres de Jérusalem.

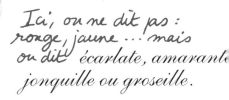

La maison Bosc, la haute couture de la magistrature, du barreau, et des officiers ministériels.

Ici, on ne dit pas : rouge, jaune ... mais on dit : écarlate, amarante, jonquille ou groseille.

Le conformateur qui mesure le diamètre des têtes "bien faites et bien pleines !"

Toque de juge

Toque de conseiller

Toque de professeur de droit

Mortier de la Cour de cassation

Toque de professeur à la faculté des sciences

Toque de professeur à la faculté des lettres

Toque d'avocat

Toque de professeur à la faculté de médecine

26 Janvier
14 h 30

Mardi 21 Mars
15h40

Séance du conseil
de l'Ordre des Avocats

Carnet 6

Il n'y a pas d'autre espace public où une profession privée soit autant chez elle que les avocats dans le palais de justice. On n'y voit pourtant qu'une partie de la profession, puisqu'une part considérable de l'activité du barreau - les consultations, les rédactions de contrats, les négociations - se déroule au cabinet. C'est encore plus vrai depuis la fusion des avocats et des conseils juridiques. Certains prédisent à la profession une évolution vers le commercial. Puisse-t-elle s'en garder ! Les avocats ont toujours été les médiateurs naturels entre les intérêts privés et l'intérêt général, et, dans une démocratie qui se regarde plus juridiquement que politiquement, ils sont appelés à devenir les nouveaux interprètes des attentes politiques qui ne trouvent d'autres enceintes pour s'exprimer que les prétoires.

Cela n'empêche pas le barreau de garder ses traditions ; par exemple, la conférence du stage. Chaque année, après des éliminatoires, la promotion précédente, sous la présidence du bâtonnier, désigne les douze meilleurs orateurs, lesquels sont consacrés secrétaires de la conférence du stage. C'est un titre qu'ils garderont toute leur vie et qui inscrira leur nom sur une liste prestigieuse où se côtoient non seulement des gloires du barreau comme Moro-Giafferi, Tixier-Vignancourt, Jean-Denis Bredin mais également des présidents de la République comme Jules Grévy, Poincaré ou Millerand, des présidents du Conseil comme Viviani, Paul Reynaud ou Edgar Faure, des gardes des Sceaux comme Georges Kiejman ou Michel Vauzelle ...

MONSIEUR BERNARD VATIER
DAUPHIN DE L'ORDRE

Maître Farthouat
Bâtonnier de l'Ordre
des Avocats.

27 Mars 1995

Maître Henri Leclerc
Actuel Président de la Ligue des
droits de l'homme –

15h10

15h15

3 Avril 1987

Maître Noguères
Président de la Ligue des droits de l'homme,
le premier avocat que j'ai croqué, à
l'occasion du procès Barbie –

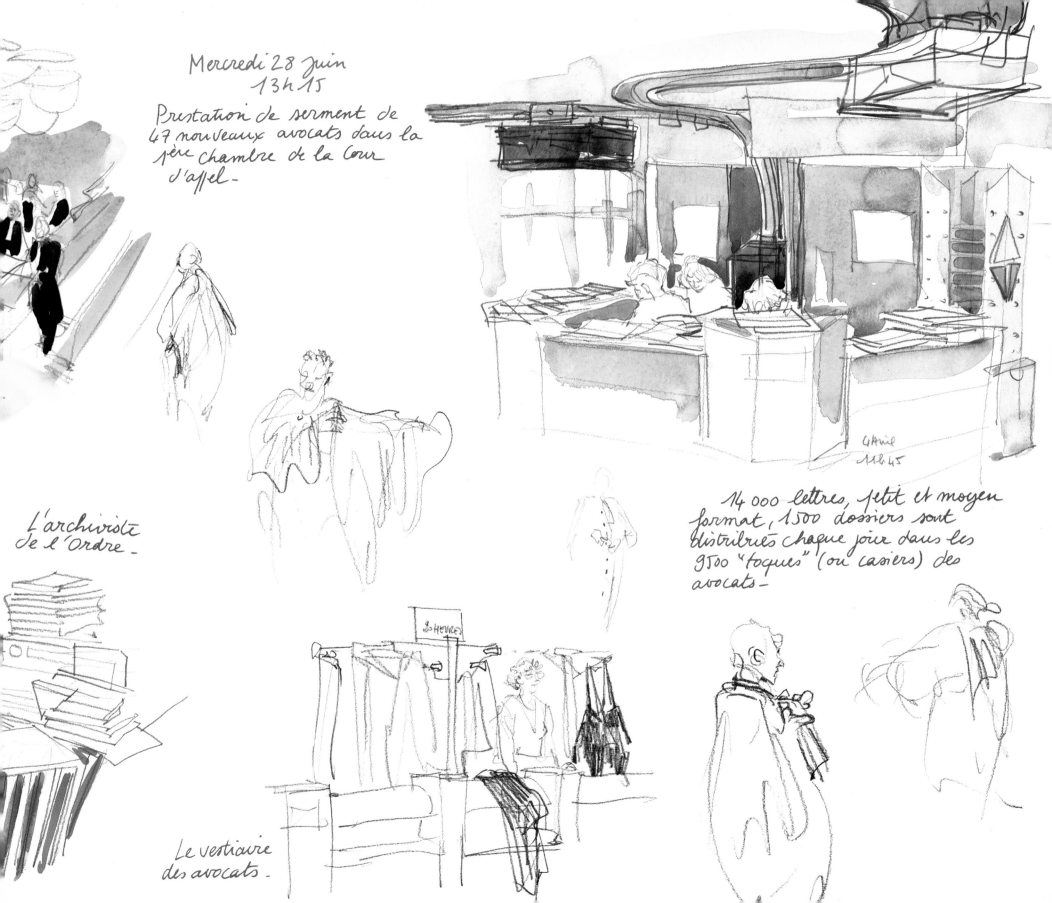

Mercredi 28 juin
13h15
Prestation de serment de
47 nouveaux avocats dans la
1ère chambre de la Cour
d'appel.

L'archiviste
de l'Ordre.

Le vestiaire
des avocats.

14 000 lettres, petit et moyen
format, 1500 dossiers sont
distribués chaque jour dans les
9500 "toques" (ou casiers) des
avocats.

9 Février, 21 h
Soirée littéraire du Palais,
dans la bibliothèque de l'Ordre
Thème de la conférence =
Edmond Michelet

Les conférences Berryer, premières joutes oratoires avant d'aborder les finales, devant un jury impitoyable.

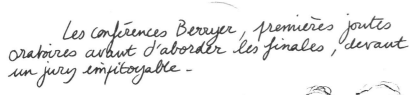

Jean-Denis Bredin invité d'honneur de la conférence du stage, ce soir là.

le jury de la conférence du stage.

19 Nov
Dans le vestibule de Harlay,
la rentrée solennelle du Barreau.

avocats portugais

15h30

Devant tous les hauts magistrats et le barreau au complet,
le lauréat du concours d'éloquence prend la parole.

Janvier 1993
Audience solennelle de
rentrée de la Cour d'ap

Carnet 7

Au Palais de justice comme dans tout espace sacré, donc actif, le regard s'inverse : ce n'est pas tant nous qui le regardons que lui qui nous regarde. Les têtes de Méduse, cette figure de la mythologie grecque qui transformait en pierre les gens qui osaient la regarder, sont omniprésentes. Comme le mauvais œil, elles détournent le regard. C'est peut-être pour cela que dans les couloirs la plupart des passants ont les yeux tournés vers le sol. Il n'y a que les touristes, c'est-à-dire les seuls vrais innocents de ces lieux, pour oser lever la tête.

Pourquoi ces innombrables gueules de lion dans des lieux censés inviter à la paix et à la concorde ? Annoncent-elles l'horreur du châtiment ? Ne nous dédommageraient-elles pas secrètement en nous offrant le spectacle terrifiant - mais libérateur - de la violence ? « Sans cruauté, dit Nietzsche, point de réjouissance, voilà ce que nous apprend la plus vieille et la plus longue histoire de l'homme - et le châtiment aussi a de belles allures de fête. »

COUR D'APPEL

La Cour d'appel n'a pas pour seule mission de juger les appels des juridictions inférieures, c'est-à-dire des tribunaux de grande instance, des conseils de prud'hommes et des tribunaux de commerce. Elle a aussi en charge la Cour d'assises et la Chambre d'accusation. Cette dernière statue sur les appels contre les décisions des juges d'instruction ainsi qu'en matière d'extradition. Ce service a été informatisé il n'y a pas si longtemps. La Cour d'appel de Paris a vu ses compétences s'accroître pour connaître au niveau national des recours contre les décisions de certaines autorités administratives indépendantes, comme la Commission des opérations de bourse ou le Conseil des bourses de valeurs. Sa jurisprudence, en cette matière comme dans d'autres, est aussi respectée que celle de la Cour de cassation.

Grâce à l'esprit d'ouverture et la force de conviction de son Premier Président, Myriam Ezratty, les chefs de cour ont ouvert les portes du Palais au peuple de Paris un dimanche de mars 1990. Le succès, qui fut considérable, a rapporté la preuve de l'intérêt que ces murs continuent de soulever.

Jean-François Burgelin
Procureur général près la Cour d'appel

Feu PRESIDENT GILARDIN
1853-1859

La greffière et son bicorne -

L'atrium de la Présidence -

E. DREYFUS

Le gendarme en faction et son képi -

Myriam Ezratty
Premier Président de la Cour d'appel.

Dans la chambre du Conseil,
au mobilier contemporain, on
vient remplacer les appliques —

le secrétariat
de la Présidence —

Le chauffeur de
Madame le Premier, dans son
appartement de fonction —

Le poison rouge des greffes
de la chambre d'accusation.
L'autre poison est mort après
avoir avalé une agrafe.

Les greffes de la
chambre d'accusation.

Le Président et
les deux assesseurs.

Comme chaque mercredi à 13h30,
séance publique d'extradition.
Une traductrice est souvent indispensable
aux côtés de l'étranger.

20 janvier 1993
14h15
Installation de nouveau
conseillers à la Cour de
Cassation –

Carnet 8

IL Y A, POUR TOUTE LA REPUBLIQUE, UNE COUR DE CASSATION

La Cour de cassation, création révolutionnaire, est le dernier juge du droit. Sa conception est intimement liée au positivisme juridique et à l'idée d'un Code clair, compréhensible par tous et contenant tout le droit. Son modèle a été exporté dans de nombreux pays. C'est dans ses six chambres que l'on y juge la bonne application du droit. Elle se trouve ainsi au cœur des affaires qui marquent la vie de la cité, comme en matière de bioéthique. Les plafonds à caissons, les dorures et la solennité de l'endroit ne l'épargnent pas des évolutions qui tourmentent toute l'institution. Victime de son succès, la Cour de cassation connaît donc un certain engorgement des causes. Mais ici comme ailleurs, la sérénité et le respect du justiciable doivent régner. « Le juge, a rappelé récemment Pierre Drai, son Premier Président, doit être un praticien de l'idéal, seulement préoccupé de la confiance des justiciables qui lui procure son ultime légitimité. »

*Pierre Drai
Premier Président de la Cour
de cassation.*

Le local avancé de la Cour où la greffière
reçoit les plaignants -

La galerie Saint-Louis -

La solitude
du gendarme en faction -

Le gardien de la Cour de Cassation.

La femme du gardien.

GALERIE INTERDITE AU PUBLIC

La galerie des Bustes.

Jacques Guinard,
Président de l'Ordre des Avocats au Conseil
d'État et à la Cour de Cassation.

La Chambre civile, au décor contemporain,
inaugurée en Décembre 1992.

De 16h à 17h30,
détente au Club,
situé dans la Tour Bonbec
Là, on se désaltère
en bonne
compagnie

La bibliothèque
de la Cour de Cassation –

Les deux huissiers
de la Présidence –

Le Chargé de mission
auprès du Premier Président –

L'apparitrice de la Chambre
commerciale, la chambre verte –

Après l'installation de nouveaux conseillers,
félicitations dans la salle du Conseil de
la première Chambre –

Le Secrétaire général du Premier Président.

La greffière de la Chambre commerciale.

Réception à la Cour de Cassation —

Monsieur le Conseiller
Nadar!

5 janvier 1994
17 h 08
Rentrée solennelle à
la Cour de Cassation.
Arrivée du Garde des Sceaux

"Présentez ... Armes!"

L'Avocat général -

La greffière -

Est-ce un hasard si la justice - comme la République - est toujours représentée sous les traits d'une femme ? Eschyle, à un moment où il sentait la justice athénienne menacée, a mis en scène la conversion des Erinyes en Euménides, c'est-à-dire des Gorgones épouvantables qui vengeaient le sang versé en déesses bienveillantes gardiennes de la justice. Ce sont peut-être elles qui dorment encore au-dessus de nos têtes ? Serait-ce pour se concilier leurs grâces qu'on les couvre d'or ? Comme si ces femmes rappelaient à cet aréopage essentiellement masculin leur antique domination, les avertissant qu'un jour leurs têtes pourraient à nouveau se couvrir de serpents et leurs yeux pleurer des larmes de sang.

La pendule de la Grand-Chambre.

3 juillet, 9h45
Assemblée plénière à
la Grand-Chambre

Le Premier Président de la Cour de Cassation
et les Présidents de Chambres.

11 h 30

15h30

Ce Palais écrase par tant de monumentalité, et pourtant sa fragilité est peut-être son secret. Il n'existe que par la vie qu'on lui donne. Sans ces juges et ces avocats, sans ces petits métiers, sans cette densité d'émotion, sans cette concentration d'angoisse et parfois de joie, sans cette course pour la notoriété, l'avancement ou la réussite, sans ces gens pressés, inquiets ou oisifs, que nous avons suivis tout au long de ces carnets et qui sont déjà repartis chez eux ou en prison, le Palais ne serait rien. Institué par notre respect, il nous restitue généreusement notre don en réaffirmant les valeurs de notre démocratie, en conservant notre mémoire et en organisant nos délibérations. Il met en forme la gestation permanente de notre démocratie. Le Palais de justice de Paris est un point de repère pour notre société qui, dit-on, est en panne de sens. Sa vertu cardinale est d'exister, c'est peut-être pour cela qu'il s'intègre si bien à côté de la Seine dont le propre, au contraire, est de passer.

 Nous remercions

Maître ACHACHE
Président des soirées littéraires du Palais

Christian ALLOUIS
Géomètre principal

Thierry BARANGER
Juge des enfants

Chantal CHARRUAULT
Secrétaire générale à la Présidence
du Tribunal de grande instance

Dominique COUJARD
Vice-président
du Tribunal de grande instance, Président
de la 13ème chambre correctionnelle

Sylvaine COURCELLE
Vice-président aux affaires familiales

Emmanuel de GIVRY
Premier vice-président
chargé du service pénal
au Tribunal de grande instance

Alain LACABARATS
Vice-président
du Tribunal de grande instance,
juge des référés

Soeur Marie-Noëlle
Supérieure de la communauté
des religieuses au dépôt

Louis-Marie RAINGEARD
Premier vice-président
chargé du service administratif
au Tribunal de grande instance

Lieutenant-colonel RENAUD
Commandant militaire du Palais de justice

Marie-José RENAULT
Greffier en chef
au service des pièces à conviction

Jean REPIQUET
Secrétaire général de l'Ordre des avocats

Joëlle SAUVAGE
Vice-président
du Tribunal de grande instance,
Président de la chambre des criées

Colette BISMUTH
Juge d'instruction

Claude BITTER
Juge des enfants

La Maison BOSC

Alain BRUEL
Président du tribunal pour enfants

Jacques CHARLOT
Président de chambre honoraire
à la Cour d'appel

Daniel ÉMERY
Chef du service immobilier
du Palais de justice de Paris

Claude ETEVENON
Chargée de mission
auprès du Procureur Général
près la Cour de cassation

Henri-Charles EGRET
Chargé de mission
auprès du Premier Président
de la Cour de cassation

Maître FARTHOUAT
Bâtonnier de l'Ordre des avocats

Jean FAVART
Conseiller à la Cour de cassation

Philippe MASSONI
Préfet de police de Paris

Yves OZANAM
Archiviste de l'Ordre des avocats

Maurice PEYROT
Chroniqueur judiciaire
au journal Le Monde

Elizabeth PONROY
Président
de la 4ème chambre d'accusation

La Préfecture de police

Yvon TALLEC
Premier substitut,
chef du Parquet des mineurs

Anne TARDY
Juge des enfants

Alain VERLEENE
Président à la Cour d'assises

Nous remercions aussi

Jacques ALTMEYER, Anne AVY, Brigitte BEAUVILLAIN, Pierre BÉZARD,
Tristan BLANCHARD, Alain BORSETTO, Carole BOUCHER,
Marc CIMAMONTI, Gaston FÉDOU, André FOURCADE, Paul GARAPON,
Jean-Claude HERRENSCHMIDT, Luc LAUZET, Lucie LE HOUX, Michel NEDDER,
Françoise RAMOFF, Pierre ROUSSY, Michel SAVINAS...

...et tous ceux qui ont prêté leur prise de courant pour sécher, au séchoir, les aquarelles.

PALAIS DE JUSTICE
PLAN DES TOITS
Echelle : 1mm = 1m

surface des toitures :
23 690 m²

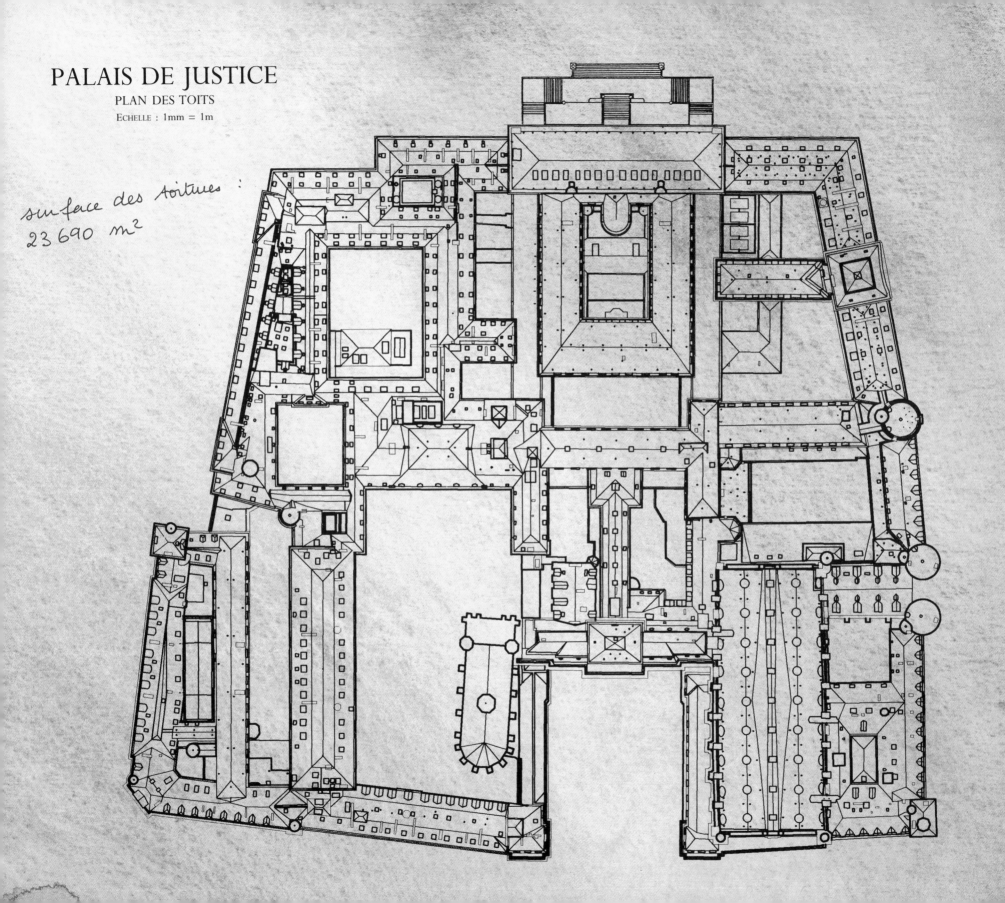